Dirección editorial:
Departamento de Literatura Infantil y Juvenil

Dirección de arte:
Departamento de Imagen y Diseño GELV

Concepto gráfico y diseño de la colección:
Gerardo Domínguez

Primera edición: octubre 2001
Undécima edición: febrero 2012

© Del texto: Rocío Antón y Lola Núñez
© De la ilustración: Paz Rodero
© De esta edición: Editorial Luis Vives, 2001
  Carretera de Madrid, Km. 315,700
  50012 Zaragoza
  Teléfono: 913 344 883
  www.edelvives.es

ISBN: 978-84-263-4467-0
Depósito legal: Z 1607-2011

Edelvives Talleres Gráficos. Certificados ISO 9001
Impreso en Zaragoza, España

Margarita,
una urraca avariciosa

Rocío Antón
Lola Núñez

Ilustraciones de
Paz Rodero

EDELVIVES

Cada , los pequeños del piden al viejo roble

que les cuente un .

Hoy, les va a contar

una historia de .

El roble mece sus

y comienza el .

Margarita era una preciosa urraca
de 🪶 blancas y negras.

Cada mañana bajaba al 🪨;
se lavaba con cuidado las 🪶
y el 🐦 y se miraba en las limpias
aguas como si fueran un 🪞.

Era una urraca presumida.

9

Margarita era tan presumida que pensaba: "Una hermosa ave como yo no merece vivir en este  de barro y 🌿🌿. Soy elegante como una 👸. Por eso, voy a construirme un 🏰 de 💎💎, y todo el 🌳 me admirará".

A partir de ese día, Margarita pasaba el tiempo recogiendo objetos brillantes con el 🐦 para guardarlos en su 🪹.

Reunió muchos trozos de 🍾 y 🪞; y hasta viejas 💍 y 📿.

Para Margarita, aquellos chismes eran un auténtico 🧰.

13

Todos en el hablaban

del de Margarita,

y muchos iban a verlo.

Cada vez que alguien

se acercaba a su ,

ella agitaba las y gritaba:

—¡Fuera de aquí, !

Así, Margarita se quedó sola

con su , sus y sus .

Cada año, a finales de otoño,
había una fiesta en el 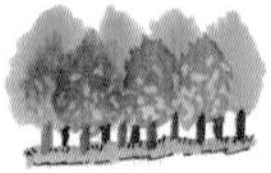
para despedir a los 
que pasaban el invierno
durmiendo en sus  .

Todos los  estaban atareados
preparando la fiesta con ilusión.

Todos menos Margarita, a quien
nadie había invitado.

El  goloso recogía 🥔, 🌰,

🌰 y 🍇 para la merienda;

el 🦗 ensayaba sus canciones;

el 🐰 ilusionista practicaba sus trucos

y la graciosa 🐿️ inventaba chistes.

19

La urraca miraba los preparativos desde las 🌿 cercanas a su 🪹 y se decía:

—Ya vendrán a invitarme. Sin mí, no puede haber una fiesta en el 🌳.

Pero se acercaba la gran 🌙 y nadie invitaba a Margarita.

La pobre urraca estaba triste.
Pasaba el tiempo sola en su
y no sabía qué hacer para acercarse
a los otros .

Entonces tuvo una idea estupenda:
compartiría su con todos
los habitantes
del .

Margarita voló hasta el lugar

en el que se preparaba la fiesta.

—Amigos, he sido una egoísta

y os quiero pedir perdón a todos.

Aquí está mi ; lo ofrezco

para adornar el en la fiesta.

He comprendido que un

no vale nada sin amigos.

Los sonrieron contentos

y le dieron la bienvenida.

La  en que se celebró la fiesta, el resplandecía como un de gracias al de Margarita.

Fue la fiesta más espléndida que se recuerda en el .

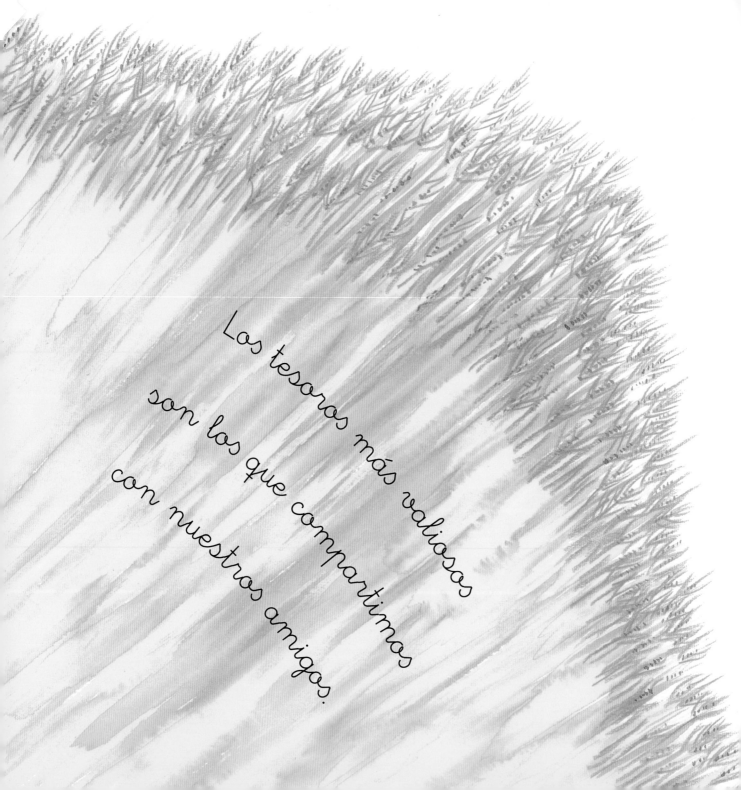

Los tesoros más valiosos son los que compartimos con nuestros amigos.

Pictogramas

alas

animales

ardilla

bosque

botellas

casas

castañas

collares

conejo

cuento

diamantes

espejo

grillo

ladrón

moras

nido

noche

nueces

oso

palacio

pico

piñas

plumas

princesa

ramas

río

sortijas

tesoro

urracas